23, rue du Cherche-Midi, 75006 Paris.
Vous pouvez consulter notre catalogue général et l'annonce
de nos prochaines parutions sur notre site Internet :
cherche-midi.com

Pierre Dhombres-Kassab

120 ENIGMES POUR JOUER EN FAMILLE

Sans papier ni crayon

illustré par
PIEM

le cherche midi

Introduction

Énigme vient d'un mot grec qui signifie « parole obscure ou équivoque ».

La langue française est merveilleuse et riche d'ambiguïté : un homme qui vient de s'éteindre est appelé *feu*; l'élève qui joue ne travaille pas tandis que le bois qui joue travaille; on perd aux échecs quand on est mat mais on est verni si l'on gagne, etc.
Il y a vingt-cinq siècles à Delphes, la Pythie, chargée de transmettre aux hommes les oracles du dieu Apollon, proposait de véritables énigmes; on les connaît grâce aux mythes et aux tragédies qui les évoquent – une mauvaise interprétation pouvait mener au désastre.

Parmi toutes les sortes de paroles étranges qui ont traversé les âges et les civilisations, nous en avons sélectionné plus de cent. Nous les avons choisies, bien sûr, pour leur intérêt propre, et, en plus, parce qu'elles partagent toutes une particularité : vous pouvez les poser oralement à vos proches, à table, en une sorte de défi. Qu'elles soient courtes ou longues à énoncer – comme de véritables histoires –, ces énigmes, pour la quasi-totalité, n'exigent ni papier, ni crayon, ni longs calculs. Elles font seulement appel à l'imaginaire, au ludique et à l'intelligence.

Pierre Dhombres-Kassab

7
ÉNIG
MES

ÉNIGME 1

Un forgeron en plein travail tient un morceau de fer incandescent au bout de sa grande pince. Un magicien surgit : « Si tu me donnes un écu d'or, je le lèche », lui dit-il.
Le forgeron lui remet un écu d'or, et attend la suite… Le magicien le lèche vraiment, sans se brûler la langue, évidemment. Comment ?

ÉNIGME 2

Doit-on dire « un grand nombre de corbeaux sont blancs » ou « un grand nombre de corbeaux est blanc » ?

ÉNIGME 3

Le sphinx de Thèbes (mythe grec).
La question posée par le monstre – corps de lion, tête de femme – était : « Quel est l'animal qui marche à quatre pattes le matin, sur deux pattes à midi et sur trois pattes le soir ? »

ÉNIGME 4

Même si vous n'avez pas fait de latin ou de grec, vous devez pouvoir répondre à cette énigme.
« En Grèce, comment appelle-t-on l'ascenseur ? »
Un indice : de la même façon qu'à Rome (et dans toute l'Italie).

ÉNIGME 5

Le jugement de Salomon.
Deux femmes avaient eu un enfant le même jour. L'un des nouveau-nés était mort. Toutes deux revendiquaient le survivant et firent appel au roi pour trancher leur litige. Salomon ordonna de fendre l'enfant en deux, afin d'en donner à chacune une moitié. L'une des deux femmes préféra alors renoncer à l'enfant. À laquelle des deux femmes Salomon allait-il choisir de remettre l'enfant ?

ÉNIGME 6

Le papa est en prison, la fille pleure devant un hôtel et la maman est satisfaite.
Indice : le papa va bientôt sortir, la fille pleure parce que l'hôtel est trop cher, et l'hôtel appartient à la maman.

ÉNIGME 7

Qu'est-ce qui se cache sous la définition suivante : « tube de rouge » ?

ÉNIGME 8

Deux garçons, tous deux nés de la même mère, ont vu le jour le même jour du même mois de la même année. Et pourtant, ce ne sont pas des jumeaux.
Comment est-ce possible ?

ÉNIGME 9

Imaginez que, au cours de fouilles archéologiques dans un site jamais exploité jusqu'ici, l'on retrouve le corps d'un humain, extrêmement ancien mais en parfait état de conservation : en le regardant, le paléontologue conclut que c'est le corps d'Adam. Pourquoi ?

ÉNIGME 10

« Je suis le frère de deux aveugles ; pourtant, ces deux aveugles ne sont pas mes frères. »
Comment est-ce possible ?

ÉNIGME 11

À Athènes, deux pères et deux fils attendent l'ascenseur, qui finit par arriver ; ils montent. Arrivé au dernier étage, l'ascenseur s'ouvre et il en sort trois personnes. L'ascenseur est vide, personne n'est mort entre-temps, et personne n'est sorti par une issue dérobée.
Comment cela est-il possible ?

ÉNIGME 12

En Chine, un homme peut-il épouser la sœur de sa veuve ?

ÉNIGME 13

Pariez à coup sûr une bouteille de champagne que vous allez gagner, dans un concours de connaissances, face à un érudit. Le jeu consiste à poser une question chacun à son tour. Le premier qui arrivera à faire dire à son adversaire « je ne sais pas » aura gagné. C'est vous qui posez la première question. Choisissez-la bien.

ÉNIGME 14

Quel est le plus grand nombre que l'on puisse former avec les trois chiffres 0, 1 et 2 ?

ÉNIGME 15

Une fête de famille a été organisée pour l'anniversaire du petit dernier d'une famille de trois enfants. La fête rassemble les cinq membres de la famille.

Au dessert, chacun est invité à faire un vœu et à embrasser les autres convives.

Combien de baisers seront échangés : 25, 16, 12 ou 10?

ÉNIGME 16

Antoine et Cléopâtre avaient un voisin, dont le fils recueillit un jour un petit chat : c'était au tout début de l'année que nous appellerions aujourd'hui 5 ans avant Jésus-Christ. Le chat habita là jusqu'à sa mort, au tout début de l'année que nous appellerions aujourd'hui 5 (après Jésus-Christ). Combien d'années ce chat passa-t-il dans la maison ?

ÉNIGME 17

Un soir d'hiver, un homme et son fils circulent sur une route départementale escarpée en direction de Briançon. Soudain, leur voiture dérape et heurte un pylône de béton. Le père a été tué sur le coup. Le fils est dans un état grave. Il est immédiatement transporté au service des urgences de l'hôpital de la ville. Les membres de l'équipe d'intervention sont déjà prêts : le chirurgien, l'anesthésiste, plus deux internes et un infirmier. Le personnel le plus compétent a été mobilisé ce soir-là. Mais tout à coup, l'anesthésiste, voyant l'enfant, s'exclame : « Je ne peux pas participer à l'opération, cet enfant est mon fils. » Comment est-ce possible ?

ÉNIGME 18

Nénuphar en pleine croissance.
Un nénuphar de l'étang du parc de Valrose (fac de sciences, à Nice) double de surface chaque jour. Au bout de 100 jours, il recouvre tout l'étang. Au bout de combien de jours en recouvrait-il la moitié ?

ÉNIGME 19

Vous lancez une balle aussi fort que possible. Elle ne frappe rien, rien ne lui est attaché. Pourtant, la balle revient vers vous. Comment est-ce possible ?

ÉNIGME 20

Si vous doublez le deuxième dans une course cycliste, en quelle position vous retrouvez-vous ?

ÉNIGME 21

Si, dans la même course, vous doublez le dernier, en quelle position vous retrouverez-vous ?

ÉNIGME 22

Vous vous entraînez pour le prochain marathon de New York. Vous avez trouvé près de chez vous un parcours qui fait 40 km aller et retour. Vous décidez aujourd'hui de courir vos 20 premiers kilomètres – l'aller – à la vitesse de 20 km/h et de faire le retour à 10 km/h. À quelle vitesse moyenne aurez-vous couru ?
Un indice : ce n'est pas 15 km/h.

ÉNIGME 23

Combien d'animaux Moïse fit-il monter dans son Arche ?

ÉNIGME 24

Un escargot virtuose de l'escalade est amoureux. Il veut rejoindre sa belle au sommet d'un mur de 7 mètres de haut. Il est capable de progresser de 3 mètres chaque jour, mais la pente le fait reculer de 1 mètre chaque nuit, quand le sommeil réparateur le saisit. Combien de temps lui faudra-t-il pour rejoindre sa belle ?

ÉNIGME 25

Dans un réseau de résistance, les combattants clandestins qui doivent se rencontrer ne se connaissent pas forcément, c'est même plus sûr puisqu'en cas « d'accident », le réseau ne tombera pas en entier. Après plusieurs semaines de surveillance, un agent d'infiltration avait réussi à entendre la phrase de reconnaissance de deux membres du réseau ; le premier a commencé par : « À Bruxelles ces derniers errements furent... », et l'autre a ajouté un mot, assez vite : « gênants ». Cette semaine, il doit tenter de prendre contact avec le premier homme : il se présente à lui, juste avant qu'un autre membre n'arrive. L'homme prononce une phrase nouvelle, qu'il faudra compléter : « La mère n'osait pas quémander, rougissante sauterelle... ». Que peut-il dire pour compléter ?

ÉNIGME 26

Un jeune homme était occupé chez lui à des travaux de peinture. Il utilisait un pinceau à bout rond et un pot de peinture crème. On sonna à la porte de la maison, cela le fit sursauter, il lâcha le pinceau, qui tomba, non pas sur le sol, mais sur le plafond. Pourquoi ?

ÉNIGME 27

Un homme noir est habillé de la tête aux pieds avec des vêtements complètement noirs (jusqu'aux gants) : il traverse lentement une large voie. Au même moment, une limousine noire, roulant tous feux éteints, débouche d'un virage à toute allure. Pourtant, **le chauffeur de la limousine évite la collision** sans difficulté.

ÉNIGME 28

Imaginons que, pendant la guerre froide, un avion militaire russe transportant des agents secrets chinois se soit écrasé à la frontière sino-soviétique, exactement sur la ligne-frontière. Dans ce cas, où allait-on enterrer les rescapés?

ÉNIGME 29

Molosse est un chien de garde féroce qui suit chacun de vos mouvements et qui est attaché à un arbre avec une longue chaîne. Votre ballon de volley a roulé en direction de l'arbre, et du chien. Comment pouvez-vous récupérer votre ballon sans vous faire dévorer?

ÉNIGME 30

Vous faites partie d'un groupe de trois explorateurs, parti depuis quelques jours dans la savane, à la fin de l'automne. Vous avez rencontré des éléphants, des rhinocéros, et quelques autres espèces d'animaux. Tout à coup, un lion affamé surgit. Cela fait longtemps qu'il n'a pas eu de troupeau de zèbres à se mettre sous la dent : l'été fut sec et long. Vos fusils sont complètement vides ; les trois sacs à dos ne contiennent que des vêtements de rechange.

Vos compères s'étonnent alors de vous voir vider le contenu de votre sac à dos pour chausser vos baskets, et l'un d'eux vous dit : « Tu ne comptes quand même pas courir plus vite qu'un lion ? » « Non, bien sûr », répondez-vous. Pourtant la suite de votre réponse leur révélera que vous n'avez pas complètement perdu la tête.

Quelle raison avez-vous donc de chausser vos baskets, au lieu de conserver vos lourds et solides Pataugas comme vos collègues ?

ÉNIGME 31

À New York, Manhattan, 5e Avenue, dans le quartier le plus dense en gratte-ciel au monde, un homme glisse malencontreusement du rebord de la fenêtre d'un immeuble de 69 étages, et fait une chute dans la rue. Pourtant, il s'en sort sans une seule égratignure. Comment?

ÉNIGME 32

Une jeune femme employée dans le quartier de Manhattan habite au 42e étage d'un immeuble de 50 étages. Chaque matin, elle utilise l'ascenseur seule pour descendre et se rendre à son travail. Chaque soir en rentrant, elle reprend l'ascenseur seule, qui la conduit jusqu'au quarantième étage. Elle monte alors les deux derniers étages à pied. Pourquoi n'effectue-t-elle pas tout le trajet en ascenseur?

ÉNIGME 33

Prenez une feuille de papier, ou un mouchoir en papier, ou bien imaginez que vous avez une feuille de papier d'un format tout à fait habituel à la main. Oseriez-vous lancer à quelqu'un le défi suivant : « Je place une feuille de papier par terre et nous allons tous deux placer nos pieds dessus (ou au moins les pointes) ; pourtant, il sera impossible à la personne qui aura placé ses pieds sur la feuille, en face de moi, de me toucher. Je parie que, même si elle le veut, la personne n'y parviendra pas. » Comment pouvez-vous faire en sorte de réussir votre pari ?

ÉNIGME 34

Deux personnes vont se promener dans un bois. Un peu plus tard, deux personnes en sortent. Il n'y avait personne d'autre dans le bois au moment de leur arrivée et personne n'y a pénétré pendant qu'elles y étaient. Pourtant, l'une des deux personnes qui sort du bois est en train de téléphoner, parlant d'une troisième qui est dans le bois. Pouvez-vous expliquer ?

ÉNIGME 35

Une soirée terriblement ennuyeuse se déroule très lentement chez un écrivain amateur : après le dîner, l'hôte s'est livré à la lecture d'une de ses œuvres en cours d'écriture. À la fin, un des invités se lève et dit : « Vous n'avez strictement aucune imagination ; ce livre est incroyablement peu original ; j'ai à la maison un livre où tous les mots de votre manuscrit se retrouvent sans aucune exception. » L'hôte demande la preuve. L'homme la lui apportera.

ÉNIGME 36

Deux hommes discutent. Le premier : « Tu te souviens de l'attaque à main armée de la banque de Vierzon l'année passée ? Je crois bien que la police n'a jamais retrouvé le voleur et qu'elle n'a même pas d'indices dans son enquête. » Son interlocuteur lui répond : « Effectivement. Je l'ai entendu dire aussi ; mais celui qui a commis cette attaque va passer dix années à l'ombre. » Comment est-il possible que le coupable fasse dix ans de prison puisqu'il n'a pas été arrêté pour son vol à main armée ?

ÉNIGME 37

Un homme et une femme entrent dans un restaurant plutôt chic. Ils prennent place, étudient la carte, commandent. On leur présente la note, ils la paient. Quand ils s'en vont, ils ont aussi faim qu'en entrant. Comment cela peut-il s'expliquer ?

ÉNIGME 38

Trois bandits sont soupçonnés de cambriolage. Le juge d'instruction veut aller vite : sachant que tous les trois mentent tout le temps, il leur annonce qu'il ne leur laissera prononcer qu'une phrase. Le premier déclare : « Le deuxième est coupable. » Le deuxième déclare alors : « Je suis coupable. » Enfin, le troisième déclare : « Le premier est coupable. » Le juge stoppe là. Parmi les trois menteurs, il a trouvé qui est le coupable. Et vous ?

ÉNIGME 39

Vacances de luxe dans le Sud : grande maison, piscine privée. Il est midi. Vous profitez du soleil au milieu de votre piscine : vous êtes tranquillement allongé sur un matelas pneumatique, un grand verre de votre boisson préférée – agrémentée d'une montagne de glaçons – à la main. Un innocent casse-pieds s'empare de votre verre, le secoue et finit par le déverser complètement dans l'eau de la piscine.

Le niveau de l'eau dans la piscine s'est-il élevé, même imperceptiblement, ou bien est-il resté identique : est-il monté de l'équivalent du verre et des glaçons ou non ?

Question subsidiaire :

Imaginez que, dans le canot pneumatique à côté de vous, le petit bloc de fonte en forme d'ancre pesant 3 kg qui était placé (curieusement) à l'intérieur, soit renversé dans l'eau. Est-ce que le niveau de la surface en aurait été modifié ?

ÉNIGME 40

Un bus de Toulouse a pris, au départ de sa tournée, les 100 personnes qui l'attendaient patiemment. Au premier arrêt, 16 personnes montent, et 6 en descendent. À l'arrêt suivant, il laisse monter 6 personnes et 2 descendent. Peu après, 10 montent et personne ne descend. À l'arrêt suivant, 2 montent et 5 descendent. À l'arrêt suivant, personne ne monte et 2 descendent. Juste avant l'arrivée au terminus, 2 personnes montent et 5 descendent. Au terminus, tout le monde descend.
Combien y a-t-il eu d'arrêts ?

ÉNIGME 41

À la SNCF, un règlement peu connu interdit aux voyageurs de transporter des bagages de plus de 4 mètres de long. Vous avez un long tuyau rigide de 5 mètres de long à transporter avec vous. Il existe un moyen (très) astucieux de faire accepter votre encombrant tuyau (sans le tordre ou le couper, bien évidemment). Il faut faire un tout petit peu de maths.

Un train part de Marseille à 8 heures du matin, et roule en direction de Paris à la vitesse moyenne de 100 km/h. Une heure et demie plus tard, un autre train part de Paris en direction de Marseille, et roule à la vitesse de 150 km/h.
Lequel de ces deux trains sera situé le plus près de Marseille quand ils se croiseront?

ÉNIGME 43

On répète toujours que la Terre est entourée d'eau. Et si on l'entourait d'une corde?
Cette corde, d'un modèle assez spécial, ferait 40 000 kilomètres de longueur : on la poserait autour de la Terre à l'équateur, en son plus grand diamètre. Jusque-là tout est clair.
Imaginez que vous décidiez de ne pas serrer notre planète de trop près : vous éloignez la corde de telle sorte qu'elle soit toujours à 1 mètre du sol.
De combien faut-il allonger la corde par rapport à la première situation (40 000 kilomètres) ; faut-il ajouter des mètres ou des kilomètres, et combien? Si vous pensez que les calculs sont très longs, dites-vous qu'il n'y a pas besoin de calculatrice, et que quatre opérations suffisent pour trouver le résultat exact.

ÉNIGME 44

Le Soleil est gros, très gros : son diamètre est égal, à peu près, à 100 fois le diamètre de la Terre. Si on le rapprochait de notre planète, le Soleil aurait-il assez de place pour passer dans l'espace habituel entre la Terre et la Lune ?

ÉNIGME 45

Le poids de la Terre est évalué à environ 6 milliards de tonnes. De combien augmenterait-il si l'on construisait un mur, telle la Muraille de Chine, qui ceinturerait la Terre à l'équateur, et pour lequel on utiliserait 1 milliard de milliards de tonnes de ciment et de briques ?

ÉNIGME 46

En Haute-Savoie, un paysan a bien prospéré et veut agrandir son domaine. Au début du printemps, il décide d'aller chez le notaire de la ville, assez éloignée – et surtout séparée par une profonde vallée –, pour lui vendre une précieuse cargaison, quoique toute petite : 2 kg d'or, qu'il cache dans trois petites courges toutes rondes, pour plus de sûreté. Il part à pied dans la montagne. Il s'est équipé le plus légèrement possible pour cette longue marche qu'il prévoit fatigante. Un imprévu surgit en chemin : le pont qui franchit un précipice a été détruit par une tempête hivernale, et a été remplacé par une frêle passerelle de bois assortie du panneau « 90 kg maximum ».
Or, le paysan sait qu'il atteint précisément cette limite, puisqu'il pèse 85 kg, majorés de ses vêtements et de son équipement : il pense qu'une seule des trois courges farcies d'or est le maximum que le pont puisse supporter, les deux autres étant de trop et risquant de faire dépasser le poids autorisé. Il refuse évidemment de faire trois allers et retours sur le pont en laissant à chaque fois une part de sa précieuse charge d'un côté ou de l'autre. Comment faire, en excluant les solutions qui consisteraient à faire un long détour, ou à poursuivre sans vêtements ?

ÉNIGME 47

C'est le début de l'automne, et les bonnes habitudes reprennent. Ce soir, il faudra préparer de la soupe de potiron pour deux semaines. La recette est simple : le même poids de courge que d'eau. Le paysan va chercher trois courges dans son jardin potager, qui nécessiteront deux grandes casseroles. Il mettra donc une courge et demie dans chaque casserole. Sachant qu'une courge pèse 1 kg de plus qu'une demi-courge, combien pèse une courge et demie ?

ÉNIGME 48

Un collectionneur de monnaies anciennes découvre, un jour de flânerie aux Puces de Montreuil, une pièce de monnaie romaine légèrement endommagée correspondant à l'époque de la guerre des Gaules et de la victoire de César ; elle porte, assez lisiblement, une date inscrite en caractères romains vite déchiffrés : « 52 avant Jésus-Christ ». La pièce pourrait avoir une grande valeur, et le prix auquel elle est proposée est presque dérisoire. Pourtant, il ne l'achète pas. Pourquoi ?

ÉNIGME 49

6 poules pondent 6 œufs en 6 jours : chacune pond au même rythme que les poules du voisin, qui en a 20. Combien les 20 poules du voisin pondent-elles d'œufs en 12 jours ?

Un sage paysan, bon père de famille, avait l'habitude de sortir une bouteille de vin le dimanche, unique jour de fête et de repos. Il en servait un verre plein à sa femme ; il s'en servait un pour lui aussi. Un jour, ses trois fils ayant suffisamment grandi, il décida de leur faire goûter le breuvage dominical, à dose raisonnable.
D'un côté l'aîné, âgé de 16 ans, verrait son verre rempli aux 2/3.
À l'opposé, le cadet, âgé de seulement 10 ans, aurait 1/3 de verre.
À celui du milieu, âgé de 13 ans, il se dit qu'il pouvait verser moitié plus que la dose du cadet. Mais voilà : 1/3 majoré de 50 %, combien cela fait-il ?

ÉNIGME 51

Un rabbin, au début du XXe siècle, voyageait sans cesse à travers l'Europe centrale pour prononcer des conférences auprès d'un public d'érudits : il faisait partager son immense culture et ses réflexions, soir après soir.
Pour se déplacer – les voitures n'étaient pas très répandues –, il utilisait les services d'un fidèle cocher qui l'accompagnait depuis de longues années.
Par un soir d'hiver, approchant d'une grande ville, le cocher s'adressa à lui : « J'écoute vos conférences depuis très longtemps ; j'aimerais que ce soir, juste ce soir, nous renversions les rôles ; c'est moi qui animerai le débat, c'est vous

qui écouterez ! » Le rabbin avait le sens de l'humour et accepta volontiers. Les voilà donc tous deux échangeant leurs habits avant d'entrer dans la ville. Le soir même, notre cocher prononça une conférence éblouissante d'érudition. De même, il sut répondre à toutes les questions.
Le rabbin, qui se tenait en retrait près de la porte, écoutait ébahi ; son cocher avait eu le temps d'entendre un si large éventail de questions en quinze ans que, ce soir-là, il n'était jamais pris au dépourvu...
Tout à coup, un des auditeurs se leva pour poser une question très compliquée et, surtout, une question que le cocher n'avait jamais entendu poser : il n'en connaissait donc pas la réponse. Il était dans l'incapacité objective d'y répondre !
Et pourtant, il s'en tira parfaitement. Comment fit-il ?
Sauriez-vous vous tirer de ce mauvais pas comme lui ?

ÉNIGME 52

Il y a quelques siècles en Castille, à l'époque de l'Inquisition, le grand inquisiteur a convoqué un juif converti qui est accusé de continuer à pratiquer son ancienne religion en secret. Le juge proclame : « Ce n'est pas moi, c'est Dieu qui va décider de ton sort. Voici deux papiers pliés. Sur l'un, il y a écrit « innocent ». Si tu choisis ce papier, tu es libre ; sur l'autre morceau de papier, il y a écrit « coupable ». Si c'est ce papier que tu choisis, tu seras brûlé. »
L'accusé se doute que les deux papiers portent la mention « coupable ». Il a soudain une idée qui va le sauver.
Quelle peut être cette idée, que va-t-il faire ?

ÉNIGME 53

Dans une autre contrée, plus lointaine et plus sauvage, le fou du roi a été condamné à mort : le choix du supplice lui est offert, mais il est peu large : pendaison ou noyade. Le condamné doit déclarer quelque chose : si ce qu'il affirme est vrai, il sera pendu ; et si c'est faux, il sera noyé.
Mais notre fou a trouvé une affirmation qui empêchera qu'on l'exécute. Comment s'y prend-il, que déclare-t-il ?

ÉNIGME 54

Le fou du roi, dans une autre contrée, située très loin (dans l'espace et le temps), avait dépassé les bornes de l'humour autorisé : un ministre qui s'estimait bafoué avait réussi à le faire condamner à mort.
Le roi, par « amitié », laisse à son fou le choix de la forme d'exécution de la sentence. Une nuit de réflexion lui est accordée pour faire connaître son choix : pendaison, poison, crocodiles, ou tout autre moyen gracieusement laissé à son imagination.
Le lendemain matin, le fou du roi se réveille joyeux. Il répond : « Oui, j'ai très bien dormi ; oui, j'ai choisi », et ça le fait rire. Quelle forme d'exécution de la sanction a-t-il imaginée pour paraître aussi calme et réjoui ?

ÉNIGME 55

J'ai cassé ma montre ; je vais aux Puces pour en trouver une autre. En voici une qui est affichée 100 euros. Le bracelet ne me plaît guère ; je voudrais en profiter pour négocier, et enlever l'équivalent du prix du bracelet : « Pourriez-vous baisser son prix du montant de la valeur du bracelet ? » Le vendeur m'indique que le bracelet vaut 90 euros de moins que le cadran, et que l'économie serait bien faible.
Combien coûte le bracelet (ou : combien coûte le cadran) ? Attention, ce n'est pas 10 euros.

ÉNIGME 56

Dans l'archipel des Cyclades, un paysan fourbu veut retourner chez lui. Sa petite barque ne supporte qu'un faible chargement. Or, il doit traverser le chenal accompagné d'un loup vaillant, d'une chèvre appétissante et d'un chou, que la chèvre mangerait volontiers s'il n'y prenait garde. Mais la barque est vraiment trop petite pour supporter plus d'un « passager » en plus du paysan. Il ne peut emmener le loup sans craindre de voir la chèvre dévorer derrière lui le chou sur la grève, il ne peut emporter le chou sans craindre de voir le loup dévorer derrière lui la chèvre. Comment organiser les aller et retour pour arriver à la maison sans rien avoir perdu ?

ÉNIGME 57

Robinson Crusoé a découvert qu'il restait, au fond de son sac, une dose de riz pour deux personnes (200 grammes).

Il voudrait se faire un bon riz « pilaf », selon la recette traditionnelle qui consiste à faire cuire le riz dans cinq fois son volume d'eau, jusqu'à absorption de tout le liquide.

Mais il y a un hic. Robinson ne dispose que de deux seaux : le premier, d'une contenance de 5 litres, le deuxième, d'une contenance de 3 litres.

Comment va-t-il s'y prendre pour obtenir juste 1 litre afin de faire cuire son riz dans la bonne quantité d'eau ?

ÉNIGME 58

En plein hiver munichois, trois supporters de l'équipe de la Juventus de Turin se rendent dans une auberge proche du stade pour fêter la victoire de leur équipe face au Bayern… et se réchauffer. Ils boivent, et offrent quelques pots à d'autres convives. Assez tard dans la nuit, ils règlent la note de leurs libations : 300 euros. Ils mettent chacun 100 euros sur la table et vont papoter quelques instants supplémentaires avant de se séparer. Mais le patron vient de s'apercevoir qu'il avait fait une erreur et que la note réelle n'était que de 250 euros. Il demande donc au garçon de les rattraper pour leur rendre 50 euros. Le garçon s'exécute, mais, quelque peu malhonnête, il prélève en chemin un pourboire de 20 euros ; il ne leur rendra donc que 30 euros : il donne 10 euros à chacun d'eux.
Chaque supporter a donc, finalement, payé 100 – 10 = 90 euros.
Ensemble, ils auront payé 3 x 90 euros, soit 270 euros, plus 20 euros de pourboire, soit un total de 290 euros : mais où sont passés les 10 euros manquants ?

ÉNIGME 59

À Sienne, la tradition du Pallio oppose deux fois par an les principaux quartiers de la ville, dans une course de chevaux montés à cru autour de la place principale. Pour tous les garçons de la ville, c'est un honneur de participer au Pallio. Dans une des maisons l'un des quartiers, deux frères, propriétaires de chevaux tout aussi rapides l'un que l'autre, se disputent ce droit auprès de leur père. Voici l'épreuve qu'il leur propose : « Demain matin à l'aube, vous ferez une course autour de la ville ; le propriétaire du cheval qui perdra la course pourra participer au prochain Pallio. » Le lendemain matin, les plus matinaux des Siennois voient deux garçons s'affronter dans une course de vitesse effrénée autour de la ville.
Expliquez.

ÉNIGME 60

Dans une grande rue de New York, le propriétaire d'un magasin de vêtements connu affiche : « Ici, le meilleur tailleur de New York. » Un de ses concurrents, propriétaire d'un magasin dans la même rue, réplique deux jours après avec l'affiche : « Ici, le meilleur tailleur des États-Unis. » Le troisième des grands tailleurs, plutôt que de prolonger l'inflation (le meilleur de la planète, du système solaire...), prend tout le monde à contrepied. Que va-t-il réussir à inscrire sur sa vitrine ?

ÉNIGME 61

Revenu de vos dangereuses aventures estivales, vous vous laissez aller à quelques calmes promenades sur les quais de la Seine à Paris. Vous êtes abordé par un clochard sympathique et bavard, qui est de surcroît un fumeur invétéré. Il vous explique qu'il collecte les mégots pour se confectionner ses « cigarettes » : il lui faut 6 mégots pour en fabriquer une. Aujourd'hui, jour faste, il a trouvé 36 mégots.
Combien pourra-t-il fumer de cigarettes ?

ÉNIGME 62

À 21 h 30, Jack McKenzie, courtier d'origine britannique récemment installé à Wall Street, quitte son gratte-ciel. Contrairement à ses collègues britanniques venus en même temps que lui s'installer à New York, il sort sans son équipement londonien habituel : parapluie et chapeau ; il est surpris par la pluie, toute britannique. Pourtant, pas un seul cheveu sur son crâne n'est mouillé, tandis que ses lunettes se couvrent de gouttes et de buée. Comment est-ce possible ?

ÉNIGME 63

Vous avez réussi à atteindre un petit village au bord de la savane africaine. Avant de rejoindre la civilisation urbaine, vous décidez de faire rafraîchir votre coupe de cheveux, devenus hirsutes à l'issue de vos longues semaines d'exploration. Dans le village, le métier de coiffeur pour hommes est tabou : seuls deux hommes ont le droit de rendre ce service aux autres hommes. Vous jetez un coup d'œil chez chacun d'eux : le premier a les cheveux impeccablement coupés, tandis que le second est presque aussi hirsute que vous. Lequel choisirez-vous ?

ÉNIGME 64

Julie a effectué un stage d'inspectrice de police judiciaire. Alors qu'elle passe quelques jours de vacances dans le Sud de l'Italie, son sens de la déduction est mis à l'épreuve. Elle a surpris la conversation téléphonique d'un pickpocket discutant d'une affaire de millions d'euros qui circulaient de poche en poche au sein d'un clan napolitain : « Tu m'avais prévenu, disait-il à son compère au téléphone, que deux membres éminents du clan donnaient de l'argent à leurs fils respectifs : tu m'as dit que le premier père a donné un million d'euros à son fils et que le deu-xième a donné 500000 euros au sien. Je me suis précipité, je leur ai fait les poches tout de suite, et pourtant je n'ai trouvé qu'un million dans leurs poches au total. Pourquoi m'as-tu raconté

n'importe quoi ? »
Julie a compris tout de suite que le comparse n'avait pas menti. Que pourrait-elle expliquer au pickpocket ?

ÉNIGME 65

À Rome, lors d'une grande fête œcuménique, réunissant des chrétiens de toutes obédiences, deux amis se retrouvent. L'un est frère dominicain, l'autre est jésuite ; ils partagent l'envie pressante de fumer un bon cigare, mais l'heure est au recueillement et à la prière. Comment faire ?
Le dominicain va demander au père supérieur de son ordre s'il lui serait permis de fumer un cigare pendant la prière sans offenser Dieu. Le père supérieur s'offusque et répond à cette requête par la négative. Le jésuite tente sa chance de son côté, et revient chargé d'une réponse positive. Pouvez-vous trouver la manière astucieuse de poser la question qui génère la réponse favorable chez son supérieur ? Quelle question a-t-il posée pour réussir là où son éminent compère a échoué ?

ÉNIGME 66

Une guerre d'une violence inouïe vient de se produire. Désespéré, un homme se jette par la fenêtre de son immeuble pour se suicider. Au moment où il tombe dans le vide, il entend son téléphone portable qui sonne et regrette fortement son geste (heureusement, il tombera sur une poubelle qui amortira son choc).
Indice : il n'a aucune idée de l'identité de la personne qui l'appelle, mais il est clair que si le téléphone avait sonné avant qu'il ne saute, il aurait renoncé à son geste.

ÉNIGME 67

Toute la famille de Julie l'a rejointe, dans son hôtel, pour quelques jours de repos au bord de l'eau. À l'issue d'une de ses habituelles grasses matinées, Julie décide de se rendre à la plage. Il est midi et elle descend au rez-de-chaussée ; dans le hall de l'hôtel, elle croise sa mère qui rentre tout juste de la plage et qui lui relate une curieuse rencontre : « Ce matin, vers 9 heures et demie, sur le chemin de la plage, j'ai croisé une vieille dame excentrique qui tenait en laisse 7 dalmatiens et 7 chats siamois. » Julie ne l'écoute que d'une oreille et veut partir à son tour à la plage quand sa mère la saisit par le bras : « Tu ne m'écoutes jamais... ; prouve-moi que tu m'écoutes : dis-moi combien de personnes allaient à la plage, d'après ce que je viens de te dire. »

ÉNIGME 68

Julie passe encore quelques jours de vacances dans un paisible hôtel de Palerme. Ce soir, elle est invitée au restaurant par un bel Italien qui doit venir la prendre à 20 heures ; à 19 h 45, on frappe à la porte de sa chambre. Elle sort de la salle de bains où elle se préparait, et découvre un jeune homme qui entre dans sa chambre, regardant autour de lui ; la voyant, il s'excuse en ces termes : « Pardonnez-moi, je me suis trompé de porte. J'occupe en fait la chambre juste à côté… » Dès que le jeune homme est parti, Julie prévient la police, qui arrêtera le jeune homme, voleur recherché depuis plusieurs semaines. Comment Julie a-t-elle deviné que ce jeune homme avait menti ?

ÉNIGME 69

Un homme est sur une île déserte en pleine mer. Il a un petit problème : la partie ouest de l'île est en feu, et le vent souffle vers l'est. Il ne peut pas se jeter à l'eau, car elle grouille de requins mangeurs d'homme.
Que peut-il faire ?

ÉNIGME 70

Je suis là sans exister
et pourtant j'ai un nom
si tu tombes tu ne peux m'éviter
je ne te quitte jamais
et nous aurons toujours
le même sort...

ÉNIGME 71

L'inspecteur de police relit la déposition du suspect : « J'étais dans la rue principale et je regardais les passants, quand un homme s'est précipité sur moi en agitant un bâton. C'est à ce moment-là que je me suis mis à courir. Le sergent nous a vus courir et il m'a empoigné. Le type qui me poursuivait a dit que j'avais assommé son patron et que j'avais volé la caisse, au casino du Pélican rose. Ce ne pouvait pas être moi, puisque je n'ai jamais mis les pieds au Pélican rose et n'en ai jamais entendu parler avant cet instant. Je suis retourné au casino avec le sergent et plusieurs clients ont dit qu'il était possible que je sois l'homme recherché, mais ils n'en étaient pas certains ! »
L'inspecteur prend la feuille et déclare : « M. Suspect est coupable, cela ne fait pas de doute. »
Comment le sait-il ?

ÉNIGME 72

Il y a trois maisons, chacune doit être reliée à l'électricité, au gaz et au téléphone. Comment faire pour que les câbles ne se croisent pas ?

ÉNIGME 73

Quel est le moyen le plus sûr de se retrouver à la tête d'une petite fortune au mois de juin quand on joue en Bourse – sans y connaître grand-chose – depuis janvier, dans un marché qui baisse ?

ÉNIGME 74

De Lothar, Régis et Aldebert, deux jouent au golf, deux jouent au football et deux jouent au tennis. Celui qui ne joue pas au tennis ne joue pas au football et celui qui ne joue pas au football ne joue pas au golf.
Quels sports sont pratiqués par chaque ami ?
PS : les prénoms n'ont aucune importance dans cette énigme.

ÉNIGME 75

Sonia lisait son livre dans une pièce sans fenêtre, quand une panne d'électricité survint. Bien que la pièce fût totalement plongée dans le noir, sans bougie, sans lampe de poche, Sonia continua à lire son livre.
Comment est-ce possible?

ÉNIGME 76

Tout condamné à mort...
Un soir d'été, un roi fut décapité. Trois moines eurent la tête tranchée. Le lendemain, on ne retrouva qu'un seul corps.
Pourquoi?

ÉNIGME 77

Régis a assisté à plusieurs réceptions dans une même soirée. Il s'est d'abord rendu au cocktail de Sonia et y a bu du punch qu'elle venait juste de mélanger. Il est resté une quinzaine de minutes, puis s'est excusé pour se rendre à la soirée organisée chez Lothar.
Malheureusement, tous les invités qui ont continué à partager la fête chez Sonia après le départ de Régis sont morts empoisonnés par le punch qu'elle avait préparé.
Pourquoi Régis n'est-il pas mort empoisonné?

ÉNIGME 78

Un chasseur fait 10 km vers le sud, il tue un ours, il fait 10 km vers l'est et 10 km vers le nord, alors il se retrouve à son point de départ.
Question : quelle est la couleur de l'ours ?

ÉNIGME 79

Un homme décide de traverser un pont qui lui semble assez frêle ; d'ailleurs, avant de s'engager sur le pont, il aperçoit une pancarte qui donne un avertissement : « Ne franchissez pas le pont à deux, sinon il craque. » Le gars décide de franchir seul le pont et... le pont casse. Pourquoi ?

ÉNIGME 80

Dans une petite maison de campagne, sans électricité, le crépuscule approche. Vous entrez dans une pièce où se trouvent trois lampes : une lampe à alcool, une lampe à pétrole et une lanterne chinoise. Qu'allumez-vous en premier ?

ÉNIGME 81

Vous êtes chez vous, en compagnie de quelques amis. Et, soudain, vous dites à l'un d'eux : « Je te parie que je peux m'asseoir à un endroit où tu ne pourras jamais t'asseoir. » Où vous asseyez-vous ?

ÉNIGME 82

L'échelle de coupée.

À marée basse, une échelle de coupée, fixée par son sommet contre le flanc d'un bateau, a 15 échelons hors de l'eau. Ces échelons sont à 20 cm l'un de l'autre et la mer monte de 40 cm par heure. Combien restera-t-il d'échelons hors de l'eau après deux heures de marée montante ?

ÉNIGME 83

Un prisonnier est enfermé dans une pièce comportant deux portes. Chaque porte est surveillée par un gardien. Le grand vizir explique au prisonnier : « Une de ces portes s'ouvre sur la liberté, l'autre s'ouvre sur le mitard. Pour deviner quelle porte tu dois choisir, tu peux questionner un des deux gardiens. Mais attention : tu peux lui poser une seule question, à laquelle il ne peut répondre que par "oui" ou par "non". De plus, je dois te prévenir qu'un des deux gardiens ment systématiquement, mais que l'autre est toujours sincère. »

Quelle question le prisonnier doit-il poser pour être sûr de trouver la bonne porte ?

Vous pouvez considérer une première situation, qui est celle où les deux gardiens se connaissent (et savent donc, quelle est la particularité de l'autre). Mais, plus généralement, vous pouvez vous placer dans le cas où chaque gardien n'est pas censé savoir quel est le comportement habituel de son collègue.

ÉNIGME 84

Six verres sont alignés sur une table. Les trois premiers sont remplis d'eau, les trois derniers sont vides. Comment, en ne déplaçant qu'un seul verre, alterner les verres contenant de l'eau et les verres vides ?

ÉNIGME 85

La famille Durand a cinq enfants. Une moitié sont des filles. Comment expliquez-vous cela ?

ÉNIGME 86

Marcel, chauffeur de taxi de son métier, est un peu pressé. Il s'engage dans une ruelle en sens interdit. Il regarde sans broncher le panneau rouge et poursuit jusqu'au bout de la rue… et tombe sur un policier. Ils discutent un petit peu et le chauffeur de taxi repart sans être réprimandé. Pourquoi?

ÉNIGME 87

Quel est le lien de parenté le plus proche que peut avoir avec vous la belle-sœur de la sœur de votre père?

ÉNIGME 88

Énigme de Boileau

Sautons les siècles : la vogue des énigmes connut une longue éclipse en Europe pendant la période romaine et celle du Moyen Âge. Elle ressurgit, quasi intacte, au XVIIe siècle, puis se diffusa dans tous les milieux, y compris les plus « intellectuels ». Citons celle que Boileau proposa. Il s'agit de trouver quel animal se cache sous la définition en vers suivante :

« Du repos des humains implacable ennemie,
J'ai rendu mille amants envieux de mon sort,
Je me repais de sang, et je trouve ma vie
Dans les bras de celui qui recherche ma mort. »

ÉNIGME 89

Le petit Philippe a été enlevé en plein Paris, et endormi par des kidnappeurs. Il se réveille seul dans une cellule n'ayant qu'un lit et un lavabo pour toute commodité. Bien qu'il n'entende rien et qu'il n'y ait pas la moindre fenêtre, Philippe, avec la perspicacité qui a fait sa légende, est bien vite convaincu qu'il est désormais très loin de chez lui.
Pourquoi ?

ÉNIGME 90

Un fermier a 100 moutons. Il désire en vendre 89. Combien en reste-t-il ?

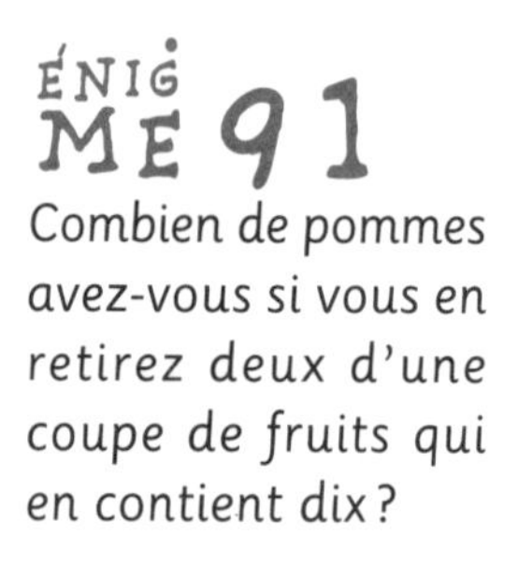

ÉNIGME 91

Combien de pommes avez-vous si vous en retirez deux d'une coupe de fruits qui en contient dix ?

ÉNIGME 92

Je voyage jour et nuit sans quitter mon lit. Qui suis-je ?

ÉNIGME 93

Un homme vivant en France peut-il être enterré en Angleterre ?

ÉNIGME 94

Avant la découverte du mont Everest, quel était le sommet le plus haut de la terre ?

ÉNIGME 95

Les gens travaillent généralement 8 heures par jour, soit un tiers de la durée totale d'une journée. Donc, en un an, la durée totale du travail équivaut au tiers de 365 jours, soit environ 122 jours. Mais on ne travaille pas les deux derniers jours de la semaine, ce qui représente 104 jours par an. En retranchant donc 104 de 122, il ne reste que 18 jours. Or, le cumul des jours fériés et des congés représente plus de 18 jours dans l'année ; donc, personne ne travaille.

ÉNIGME 96

Deux hommes jouaient aux échecs au cours d'un tournoi prestigieux. Ils ont joué cinq parties. Chacun a gagné le même nombre de parties et il n'y a pas eu de partie nulle, comment cela est-il possible ?

ÉNIGME 97

Dans un camp militaire, le soldat qui était de garde la nuit précédente vient voir son chef et lui dit : « Hier soir, j'ai rêvé que les Barbares allaient tenter de nous envahir, et je suis persuadé que c'est un rêve prémonitoire. » Le chef, qui n'y croit pas trop, fait quand même doubler la garde et, en effet, la nuit d'après, les Barbares attaquent. Mais comme la garde avait été doublée, ils sont repoussés. Le lendemain, le chef fait donc appeler le soldat qui l'avait prévenu. Le soldat monte en grade, mais est également puni.
Pourquoi ?

ÉNIGME 98

Un avocat affûte ses arguments avec son client, à quelques jours du procès. Le client, croyant bien faire, lui demande s'il peut envoyer au juge un bon gros gigot d'agneau. L'avocat lui explique que c'est le meilleur moyen de perdre le procès. Quelques jours passent. Le procès est gagné. Le client s'approche de son avocat et lui annonce qu'il a envoyé un gros gigot au juge.
Pourquoi a-t-il gagné ?
Comment s'y est-il pris ?

ÉNIGME 99

Un homme, enfermé dans une pièce sans meubles, s'est échappé par le vasistas. Pourtant, l'ouverture n'était accessible que si l'on montait sur un support situé à au moins un mètre. Nos enquêteurs, ayant ouvert la porte de la pièce fermée de l'extérieur, ne découvrent qu'une grosse flaque d'eau. Que s'est-il passé ?

ÉNIGME 100

Un ornithologue aperçoit sur les branches d'un arbre dix oiseaux. Il lui faut en endormir un pour le baguer. Il s'approche et, arrivé à distance de tir, vise celui qui se dégage le mieux. Un oiseau, touché par la piqûre hypodermique, tombe. Combien reste-t-il de volatiles ?

ÉNIGME 101

En Provence, dans les cendres d'une forêt dévastée par un grave incendie, on retrouve, éparpillés sur plusieurs mètres, une demi-douzaine de poissons intacts, non brûlés. Il n'y avait pas de barbecue qui se préparait à proximité, pas d'habitation, pas de pique-nique. Comment expliquez-vous leur présence?

ÉNIGME 102

Un jeune photographe a l'occasion de débuter lors du tournoi de tennis de Roland-Garros. Il commence avec les premières épreuves, les éliminatoires. Assis depuis longtemps dans l'herbe face à la sortie du stade, il voit défiler des joueurs qui rejoignent la station de taxis toute proche, située de l'autre côté de la route. Soudain, un ancien lui indique gentiment qu'il devrait photographier le groupe des trois joueurs qui sortent à toute vitesse : « Avec le Hongrois et l'Allemand, l'Australien est l'une des futures vedettes du tennis mondial. » Le photographe mitraille, mais il ne connaît pas les joueurs, qui se ressemblent à ses yeux. Heureusement, sa perspicacité l'aidera. Grâce à quoi a-t-il pu reconnaître l'Australien au milieu des autres ?

ÉNIGME 103

La scène se passe à l'époque de la ruée vers l'or et... des routes incertaines. Deux joueurs de poker voyagent en train en direction de San Francisco ; ils sont installés face à face. L'un somnole, l'autre lit son journal. Soudain, ils s'aperçoivent que le train s'immobilise, loin de toute ville. Celui qui somnolait voit son compère qui, ayant levé le nez de son journal, a plongé sa main dans sa poche pour en sortir une liasse de billets de cent dollars en lui disant : « Tiens, je te rembourse tout ce que je te dois depuis six mois. » Pourquoi se précipite-t-il ainsi ?

ÉNIGME 104

C'était le soir. La scène s'est produite loin d'ici, aux confins de plaines russes au climat hostile. Un cheval blanc sauta par-dessus une tour et atterrit sur un petit bonhomme noir... qui disparut alors. Que s'est-il passé ?

ÉNIGME 105

Deux bateaux sont dans l'Atlantique. L'un se dirige vers le nord-est et l'autre vers le sud-ouest. Comment les capitaines des deux navires s'appellent-ils ?

ÉNIGME 106

Un sculpteur qui vit retiré dans une maison isolée de la ville et du bruit vient de finir son œuvre : – un élégant éphèbe de bronze presque grandeur nature, d'un peu plus d'un mètre cinquante de haut, ses bras levés et largement ouverts montrant le monde au spectateur. Pour l'apporter aux élus de la cité qui la lui avaient commandée, il décide de prendre le car. Bien enveloppée avec son socle, la pièce aux contours très inégaux entre dans un emballage en forme de grande boîte à chaussures qui mesure près de deux mètres de haut, deux mètres de large et un mètre de long.

La compagnie de cars accepterait de le mettre dans le coffre mais son poids – 53 kg – dépasse le seuil de franchise tolérée, de 50 kg, pour les bagages accompagnés : il devra le faire parvenir en ville par d'autres moyens, beaucoup plus coûteux (taxi spécial, camionnette de déménageurs, ou autre messagerie de fret). Comment pourrait-il faire pour ramener sa sculpture aux normes de poids et éviter d'utiliser des moyens de transport à la fois plus coûteux et plus longs ?

ÉNIGME 107

Un cadavre est découvert dans le désert. Le corps est complètement nu et l'on a trouvé une paille dans sa main. Comment expliquer cette découverte? Indice : l'homme est mort de soif et d'insolation avant d'avoir pu rejoindre l'oasis la plus proche, et ses vêtements sont retrouvés, abandonnés, formant une sorte d'immense ligne en pointillés derrière lui sur plusieurs centaines de mètres.

Un roi habituellement généreux veut récompenser un homme qui lui a sauvé la vie : « Demande-moi ce que tu veux », lui dit-il.
En guise de réponse, ce dernier lui tend le plateau d'un jeu d'échecs (64 cases). Il demande alors au roi de bien vouloir mettre à sa disposition, le lendemain, un grain de riz, et de cocher la première case, et de recommencer ainsi chaque jour, en doublant la quantité de grains de riz et en cochant une case jusqu'à ce que toutes les cases soient cochées. Le roi, qui s'apprêtait à gâter son sauveur de faveurs plus substantielles, est étonné de la modestie de la demande. Se trompe-t-il?

ÉNIGME 109

C'était jour de foire au bourg. À l'aube, notre paysan avait quitté sa ferme, afin de parcourir le long trajet qui menait à la foire. Il devait y vendre son vieux cheval et une poule. Il espérait tirer de la vente une somme suffisante pour vivre trois mois sans se séparer d'une autre bête : il comptait vendre le cheval 200 deniers et la poule 30 deniers. Par précaution, il avait assuré à sa femme qu'il rapporterait au moins 200 deniers.
Au bout d'un moment, il fut fatigué de marcher et décida de monter sur son cheval, hissant la poule avec lui. À peine eut-il enfourché le cheval que celui-ci s'emballa. Le paysan pria son dieu favori – Hermès, dieu du commerce et des voleurs – de le sortir de cette mauvaise passe : il glissa dans sa prière qu'il remettrait au dieu tout l'argent qu'il tirerait de la vente du cheval. Le cheval arrêta net sa course, et le paysan put rejoindre le village sans encombre.
Cet homme de parole comptait cependant retourner à la ferme avec nettement plus d'argent que le prix de la poule.
D'un côté, il avait promis à Hermès tout l'argent de la vente du cheval. De l'autre, il avait promis à sa femme de rapporter de quoi vivre suffisamment longtemps.
Comment concilier les deux promesses ?

ÉNIGME 110

Un bateau quitte Nankin et remonte le Yangzi Jiang. Après deux kilomètres, une chaloupe tombe à l'eau et dérive vers Nankin. Mais le commandant décide de continuer malgré tout sa route. Le second, par contre, plaide pour aller récupérer la chaloupe. Au bout d'une demi-heure, le commandant se laisse convaincre et fait rebrousser chemin. Le bateau rejoint alors la chaloupe au moment où celle-ci arrive à Nankin. Quelle est la vitesse du courant?

ÉNIGME 111

Casimir demande à trois de ses amis de se placer en file indienne, de sorte que le dernier de la file voie les deux personnes devant lui, que le deuxième de la file ne voie que celui qui est devant, et que le premier de la file ne voie personne.
Casimir déclare : « Je vais placer un chapeau sur vos têtes. Je le choisis dans un lot de cinq chapeaux contenant trois chapeaux blancs et deux noirs. »
Cela étant fait, Casimir demande au dernier de la file la couleur de son chapeau. Celui-ci ne peut pas répondre. Casimir pose alors la même question au deuxième, qui affirme également être incapable de le savoir. C'est alors que le premier de la file, qui ne voit pourtant aucun autre chapeau, annonce : « Je peux vous dire la couleur du mien. »
Quelle est cette couleur ?

ÉNIGME 112

Un groupe de vacanciers – hommes, femmes et enfants –, en villégiature au camping de la Blanche (Seyne-les-Alpes), décide d'aller randonner à Dormillouse. Il y a un petit trajet en voiture à parcourir, et les joyeux vacanciers se répartissent en mêmes proportions dans différents véhicules. Finalement, chaque enfant se retrouve avec deux femmes et un homme, et chaque femme avec un homme et trois enfants. Au total, il y a neuf enfants. Combien y a-t-il de véhicules, de femmes et d'hommes ?

ÉNIGME 113

Un homme entre dans un gratte-ciel pour un rendez-vous. Il est attendu dans l'un des étages les plus hauts de la tour.

Le temps est pluvieux et l'homme gravit donc les étages avec son parapluie.

Mais passé un certain nombre d'étages, l'homme ferme son parapluie alors qu'il pleut toujours. Pourquoi ?

ÉNIGME 114

Tous les papes prient. Ils prient tous les jours, depuis qu'il y a des papes. Pourtant, entre le 5 et le 14 octobre 1582, le pape Grégoire XIII n'a pas prié une seule fois. Il était très pieux. Que lui est-il arrivé ?

ÉNIGME 115

Un père et son fils sont au bord le la mer. Il fait beau. Ils scrutent l'horizon. Le père est assis sur le sable, son fils a grimpé sur ses épaules. Le fils s'écrie : « Papa, regarde là-bas le bateau, il paraît tout petit, là-bas, si loin. » Le père – qui n'est pas myope – lui répond : « Tu rêves, mon garçon, il n'y a pas de bateau à l'horizon ! »
Pourtant, c'est le fils qui a raison. Pourquoi ?

ÉNIGME 116

Une maman distribue un peu d'argent de poche à ses deux garçons en début de mois.
Elle a donné la même somme aux deux enfants. Puis elle se ravise : il faudrait que l'aîné ait finalement 10 euros de plus que le second. Combien le second doit-il alors donner pour que son frère ait 10 euros de plus que lui ?

ÉNIGME 117

Combien de fois le chiffre 3 apparaît-il entre 0 et 50 ?

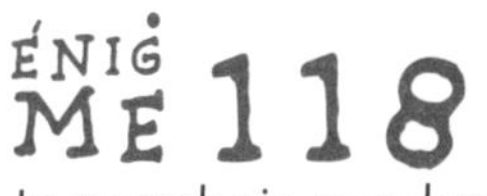

Je marchais pendant une heure sans parapluie, sans pardessus à capuche, sans chapeau, dans une rue sans grands arbres ni protections particulières contre la pluie : comment ai-je fait pour ne pas avoir les cheveux mouillés (je ne suis pas chauve) ?

ÉNIGME 119

Jour de tempête, sur une route de montagne escarpée. Au bord du ravin, une voiture est arrêtée. Crevaison. Les opérations classiques de changement de roue s'enchaînent, malgré la pluie et le vent : le conducteur a dévissé les quatre écrous qui tenaient la roue, il a déposé la roue, sorti la roue de secours qu'il glisse à la place de l'autre. Tout à coup, les quatre écrous qu'il venait de poser sur une pierre par terre en attendant de replacer la roue de secours, sont éjectés par une branche d'arbre poussée par le vent qui souffle en rafales. Les écrous tombent dans le ravin, irrémédiablement perdus. Le conducteur se lamente : je venais de replacer la roue, il ne me restait plus qu'à la revisser. Impossible de repartir, maintenant. Une automobiliste s'arrête, lui glisse quelques mots, et repart. Il pourra donc arriver à bon port en roulant.
Quel conseil lui a-t-elle donné ?

ÉNIGME 120

Charles habite avec ses parents à Marseille. Ce week-end, ses parents vont faire du voilier. Amandine, la fille des voisins, arrive dès le vendredi soir ; elle passera le week-end à l'appartement. À un moment, elle sort s'acheter des cigarettes, après un petit bisou supplémentaire à Charles. Le temps qu'elle s'absente, des voleurs surgissent sans bruit, emportent la chaîne hi-fi, plus les bijoux de la mère et le violon du père. Charles les a vus mais ne réagit pas, il n'appelle pas la police, et ne le signalera même pas à Amandine (qui n'y est absolument pour rien, pas plus que lui). Pourquoi ?

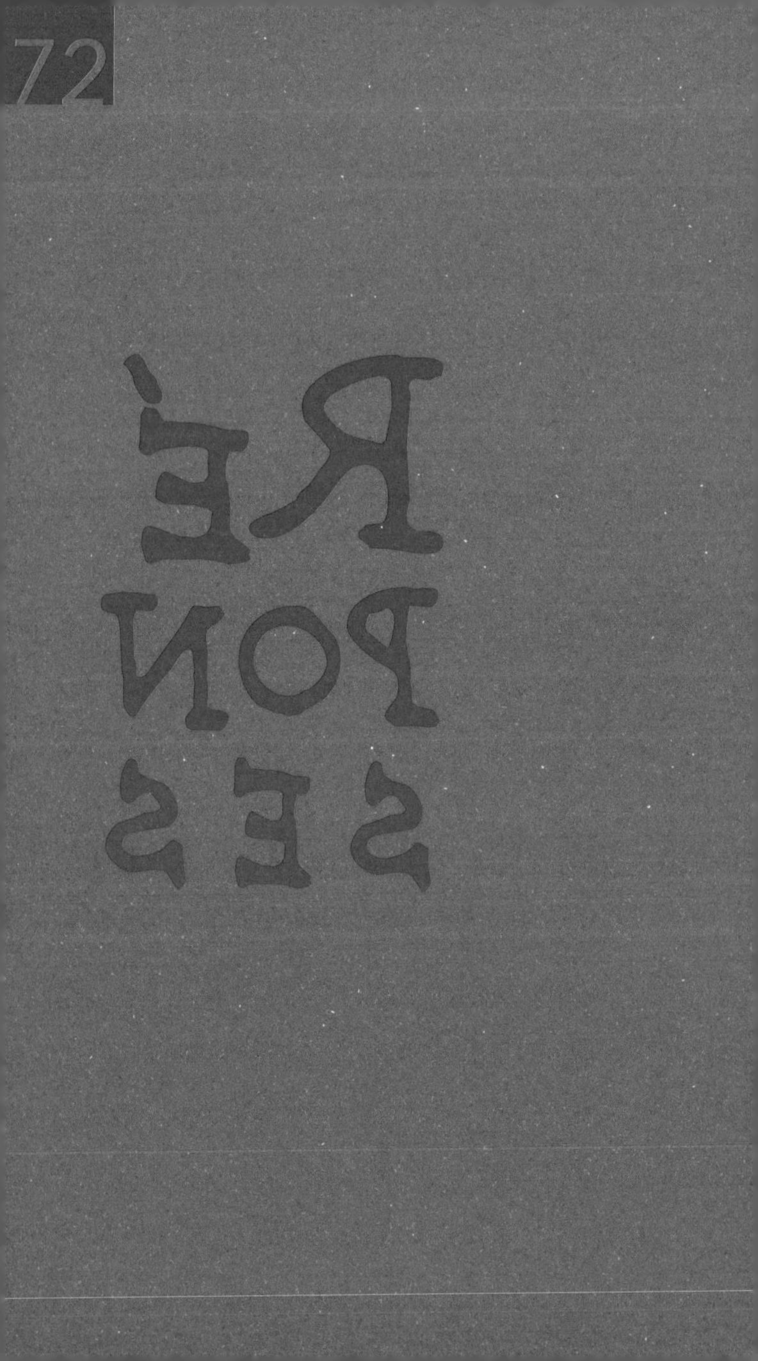

73
RÉ
PON
SES

Réponse 1 : Il lèche l'écu. Relisez bien le texte de l'énigme.

Réponse 2 : Aucun des deux puisqu'un corbeau est noir.

Réponse 3 : C'est l'homme, il marche à quatre pattes au matin de sa vie, debout sur ses deux jambes à l'âge adulte, et en s'aidant d'une canne au soir de sa vie.

Réponse 4 : En Grèce comme partout dans le monde, on appelle l'ascenseur en appuyant sur le bouton.

Réponse 5 : Entendant Salomon demander qu'on coupe l'enfant pour satisfaire les deux plaignantes, une des deux femmes pousse un cri et préfère renoncer à la mort de l'enfant : ce cri indique à Salomon que c'est elle la vraie mère. Salomon lui fait remettre l'enfant.

Réponse 6 : Le papa en prison… : ils jouent au Monopoly.

Réponse 7 : L'Internationale.

Réponse 8 : Les deux frères font partie d'une fratrie de triplés.

Réponse 9 : Le premier être humain n'a pas de nombril.

Réponse 10 : Ce sont mes sœurs. En effet, si je suis le frère de deux aveugles qui ne sont pas mes frères, c'est parce que ces deux aveugles sont mes sœurs.

Réponse 11 : Il y a trois générations : le grand-père, son fils et son petit-fils. Le fils du père est aussi un père (du petit-fils). Il y a donc deux pères, deux fils.

Réponse 12 : Un homme qui a une veuve est un homme mort : il n'est donc pas en état d'épouser quiconque.

Réponse 13 : Votre question sera : « Que signifie la phrase anglaise : I don't know? » L'autre devra alors répondre : « Je ne sais pas. »

Réponse 14 : Ce n'est pas 210. C'est 2^{10}.
Soit 2 x 2 x 2 x 2 x 2 x 2 x 2 x 2 x 2 x 2 = 1024.

Réponse 15 : Chacun des membres de la famille embrasse 4 personnes. Mais il ne faut pas trop vite conclure que 4 x 5 = 20 baisers sont échangés. En fait, c'est 2 fois moins, soit 10, puisque chaque baiser concerne 2 personnes qu'il ne faut pas compter 2 fois : or, on compte 2 fois chaque personne quand on dit que A embrasse B, embrasse aussi C, ainsi que D, et enfin E, puis quand on recommence le comptage en disant que B embrasse A (c'est déjà compté, et cela suffit), B embrasse C, etc. (OK), puis quand on compte que C embrasse A, ainsi que B (c'est déjà compté), etc. Dit autrement, la première personne embrasse 4 personnes, la deuxième en embrasse trois (non encore décomptées), la troisième en embrasse deux (non encore décomptées), la quatrième en embrasse 1 (non encore décomptée) :
total = 4 + 3 + 2 + 1 = 10.

Réponse 16 : Le chat a vécu là pendant 9 ans. On passe directement de l'an – 1 à l'année 1 (il n'y a pas d'année zéro).

Réponse 17 : L'anesthésiste est une femme, c'est la maman du jeune blessé.

Réponse 18 : Il recouvrait la moitié au bout de 99 jours (puisqu'il double chaque jour).

Réponse 19 : Si la balle revient toujours vers vous, c'est que vous la lancez vers le haut.

Réponse 20 : Si vous doublez le deuxième, c'est que vous devenez deuxième, et qu'il vous reste à doubler le premier pour devenir premier.

Réponse 21 : Doubler le dernier : impossible. Il n'est pas possible qu'il y ait quelqu'un derrière le dernier puisqu'il est le dernier. S'il y avait quelqu'un, il serait avant-dernier. Il est donc impossible par définition de doubler le dernier.

Réponse 22 : En courant à 20 km/h, vous avez mis 1 heure pour faire les 20 premiers km, et, en courant à 10 km/h, vous mettez 2 heures pour parcourir le retour : au total, vous avez parcouru 40 km en 3 heures. Votre vitesse moyenne est de 13,33 km/h.

Réponse 23 : Moïse n'a fait monter personne dans l'Arche. C'est Noé qui s'en est chargé.

Réponse 24 : Il ne faut pas dire trop vite qu'il progresse de 2 mètres par jour et qu'il lui faudrait donc 4 jours. Il lui faut seulement 3 jours.
Détaillons :
Le premier jour (à la fin de la première nuit), l'escargot aura grimpé au total de 3 – 1 = 2 mètres. Le deuxième jour, il aura grimpé de 2 mètres supplémentaires, et atteindra 4 mètres. C'est dès le troisième jour qu'il atteindra le sommet : il ne faut pas compter comme pour les deux premiers jours – en déduisant la redescente nocturne –, puisqu'il atteint le sommet de 7 mètres à la fin de ce troisième jour, en progressant de ses 3 mètres diurnes habituels.

Réponse 25 : Les phrases sont composées de mots dont l'initiale suit l'ordre alphabétique. Il faut que l'agent réponde en poursuivant la série, avec

n'importe quel mot, pourvu qu'il respecte la consigne : « La mère n'osait pas quémander, rougissante sauterelle »; poursuivre avec « tourterelle », « triste », « turlupinée », ou « taiseuse », ou « travailleuse », etc.

Réponse 26 : Le jeune homme peint une maquette; il l'a disposée devant lui en la retournant pour plus de commodité quand il s'est agi d'en peindre le plafond.

Réponse 27 : La scène se déroule en plein jour.

Réponse 28 : Nulle part sur terre, on n'enterre les rescapés, qui sont justement les survivants d'une catastrophe !

Réponse 29 : Puisque ce chien vous suit dans vos mouvements, prenez soin de tourner autour de l'arbre, à bonne distance des canines de Molosse. À chaque tour de tronc d'arbre, son périmètre se réduit; vous pouvez vous rapprocher sans danger, après le nombre de tours suffisant.

Réponse 30 : Effectivement, vous ne courrez pas plus vite que le lion; en revanche, vous avez toutes les chances de courir plus vite que vos compagnons; « tout est relatif », disait Einstein. Le lion ne poursuivra pas tout le monde. C'est le même principe que la protection des portes d'entrée : il ne s'agit pas de résister à tout; l'objectif est, modestement, de résister plus longtemps que la moyenne, afin de laisser le voleur arbitrer « en faveur » des autres portes.

Réponse 31 : Il habite au rez-de-chaussée, et a fait une chute d'un mètre de haut.

Réponse 32 : Elle est naine : à l'aller, dans le sens de la descente, elle n'a pas de problème pour appuyer sur le bouton du rez-de-chaussée, situé tout en bas ; en revanche, au retour, elle ne peut appuyer que jusqu'au bouton du 40e étage.

Réponse 33 : Il suffit de glisser la feuille de papier sous une porte et de vous placer d'un côté, tandis que vous demandez à l'autre personne de se placer de l'autre côté : il devient impossible, malgré la proximité, de se toucher.

Réponse 34 : Une des personnes entrées dans le bois est une femme enceinte, de quasiment neuf mois révolus. Soudain, elle est prise de douleurs, s'allonge et accouche. L'homme qui l'accompagne sort du bois pour prévenir un médecin ; il y a effectivement deux personnes dans le bois même quand l'homme en est sorti.

Réponse 35 : Ce livre où se retrouvent tous les mots que l'auteur a placés dans son manuscrit est un dictionnaire.

Réponse 36 : Les deux hommes qui discutent sont en prison. Celui qui parle a commis le vol dont on n'a jamais retrouvé l'auteur. Il est en prison pour une autre grave affaire. En revanche, on ne l'a pas soupçonné de ce vol-là.

Réponse 37 : Les deux personnes vont se marier bientôt et sont venues commander le menu de leur noce.

Réponse 38 : Le juge peut tester très vite la compatibilité des trois déclarations :
Le premier dit faux quand il déclare que le deuxième est coupable : donc le deuxième n'est pas coupable. C'est compatible avec ce que le deuxième lui-même dit : s'avouant coupable, et puisqu'on sait qu'il ment, il serait non coupable. Et puisque le troisième dit que le

premier est coupable, le premier n'est pas coupable. Le troisième parle faux de manière compatible avec les deux premières versions de ses compères. Conclusion du juge : c'est le troisième qui est coupable. On aurait pu le vérifier avec un point de départ différent, la solution serait identique, elle serait seulement un peu plus longue à trouver.

Réponse 39 : Le niveau ne monte pas.
Quand vous êtes au milieu de votre piscine, porté par le matelas pneumatique, le glaçon que vous tenez pèse sur l'eau comme le reste de votre corps : vous vous enfoncez dans l'eau, dont le niveau a monté quand vous vous êtes installé (complément facultatif à l'intention des scientifiques : la poussée d'Archimède vient compenser le volume que vous occupez alors dans l'eau, et vous fait flotter). Imaginons d'abord qu'on vous enlève les glaçons des mains pour les remettre au frigo : vous pesez « moins lourd » et le niveau de la piscine aura baissé d'autant (d'autant que le poids des glaçons enlevés). Et maintenant, si les glaçons sont passés dans l'eau, le volume qu'ils apportent vient compenser exactement l'enfoncement de votre matelas. Au total, le niveau ne bouge pas.
Que les glaçons aient fondu ou pas ne change rien au niveau de l'eau.
Question subsidiaire : Le résultat n'est pas le même avec un bloc de fonte. En effet, le bloc, quand il est au fond de l'eau, ne déplace que son volume d'eau, soit à peu près l'équivalent d'un litre. En revanche, quand il était dans le canot, il déplaçait son poids, soit 3 kg, soit 3 litres d'eau. Le niveau de l'eau était donc plus élevé quand le bloc « pesait sur l'eau », c'est-à-dire quand il était sur le canot.

Réponse 40 : Tandis que vous poussez chacun à compter le nombre de personnes qui sont dans le bus, concentrez-vous sur le nombre d'arrêts que vous imposez à votre bus. Ici, par exemple, c'est 7.
L'astuce vient évidemment de l'attention focalisée sur les opérations d'addition et de soustraction.

Réponse 41 : Il suffit de placer le tuyau en diagonale dans un paquet rectangulaire de 3 mètres de large et de 4 mètres de long. En effet, la diagonale d'un tel rectangle fait 5 mètres. Le contrôle se fait avec la formule de Pythagore, qui dit que le carré de l'hypoténuse est égal à la somme des carrés des côtés, soit a2 + b2 = c2.

Réponse 42 : Quand ils se croisent, les deux trains sont à égale distance de Marseille ; c'est même l'exacte définition de se croiser : le moment où l'on est au même lieu, même en avançant dans deux directions de sens contraire. Ils sont peut-être tous deux à une distance de 400 km de Marseille, ou toute autre distance, cela importe peu.

Réponse 43 : Il suffit d'allonger la corde d'un peu plus de 6 mètres (6,28 mètres, exactement).
Calculs « détaillés » :
Pour trouver de combien il faut allonger la corde, il faut définir la différence entre les deux situations : c'est une différence entre les périmètres de cercles dont les rayons diffèrent de 1 mètre. Appelons C1 le petit cercle et C2 le grand ; de même, appelons R1 le petit rayon. Sachant que π est égal à 3,14, la longueur de chaque cercle est égale à $2 \pi R1$ et à $2 \pi R2$. On sait que le grand rayon dépasse le petit de 1 mètre (autrement dit, on pourra remplacer R2 par sa valeur,

qui est égale à R1 + 1).
La différence de longueur des deux cercles est :

$$C2 - C1 = 2\pi R_2 - 2\pi R_1$$
$$= 2\pi (R_2 - R_1)$$
$$= 2\pi \text{ (puisque } R_2 - R_1 = 1)$$

La différence des longueurs est donc de 2π, soit 2 x 3,14 m; c'est donc de 6,28 mètres qu'il suffit d'allonger la corde pour qu'elle fasse le tour de la Terre à un mètre d'altitude.

Réponse 44 : Le Soleil est bien plus gros que l'espace qui sépare la Lune de la Terre : il faudrait écarter la Lune vraiment très fortement pour qu'il puisse passer entre la Terre et son satellite; il faudrait presque quadrupler la distance qui les sépare toutes les deux « habituellement ». En effet, la distance Terre-Lune est de 384 000 kilomètres, tandis que la taille du Soleil est de 1 400 000 (un million quatre cent mille, vous avez bien lu) kilomètres de diamètre. À côté, la Terre, avec son diamètre de 12 700 kilomètres, est toute petite.

Réponse 45 : Le poids ne varierait pas puisque les matériaux seraient simplement pris à la Terre pour être déplacés.

Réponse 46 : Le paysan se met à jongler avec les trois courges : ainsi, le poids des deux tiers d'entre elles est toujours en l'air. Une seule pèse sur le pont.

Réponse 47 : On sait qu'une courge pèse 1 kg de plus qu'une demi-courge.
● = ◗ + 1 kg
Enlevons une demi-courge de chaque côté.
◖ = 1 kg
Il restera à gauche une demi-courge, et, à droite, 1 kg. On déduit que la courge entière pèse 2 kg, et qu'une

courge et demie pèse 3 kg.

Réponse 48 : En 52 avant Jésus-Christ, on ne risquait pas d'écrire « 52 avant Jésus-Christ », car on ne savait pas qu'on était en 52 avant Jésus-Christ !

Réponse 49 : 6 poules pondent 6 œufs en 6 jours, donc chaque poule pond un œuf en 6 jours. Chaque poule pond 2 œufs en 12 jours. Ainsi, en 12 jours, 20 poules pondent 40 œufs.

Réponse 50 : Un tiers majoré de 50 %, ça fait tout simplement 1/2, tout rond.
La façon la plus simple de le vérifier est de ramener l'opération à une somme de fractions :

$$(1/3) + \{(1/3) \times 1/2\} = (1/3) + (1/6) = (2/6) + (1/6) = 3/6 = 1/2$$

Si vous majorez un tiers de 50 % (phrase équivalente à : si vous ajoutez un demi-tiers à un tiers), vous obtenez pile 50 %, une moitié.

Réponse 51 : Le cocher réfléchit quelques instants avant de répondre, à contre-pied. « Cette question est finalement beaucoup plus simple qu'on ne l'imagine. C'est même d'une simplicité... biblique, et n'importe qui pourrait y répondre, le premier venu, même. » Il se tourne vers l'escalier où se trouve assis le rabbin qui l'écoute, déguisé en cocher. « Tenez, je vais appeler mon cocher, et posez-lui la question, vous verrez qu'il va vous répondre sans difficulté. »
Le rabbin se leva en souriant devant l'habileté de son cocher, qui avait su si bien renverser la difficulté. Le rabbin répondit, bien sûr, à la difficile question avec tout son talent !

Réponse 52 : L'accusé prend un des deux morceaux de papier et, sans le regarder, il le jette dans la cheminée, où brûle un feu de mauvais augure, en déclarant que ce papier portait la mention « innocent »; il propose qu'on vérifie, sur l'autre papier : s'il dit vrai, on devrait lire la mention « coupable » sur le morceau de papier qui reste. L'inquisiteur ne vérifie même pas, il doit relâcher son prisonnier.
(Ceci est la version « hiver » de l'histoire; en été, il peut avaler le papier : le résultat sera le même.)

Réponse 53 : Le condamné sait que, s'il dit vrai, il sera pendu, tandis que s'il dit faux, il sera noyé. Il déclare alors : « Je serai noyé. »
Il devient impossible d'appliquer une sentence. Le condamné ne peut être noyé que s'il dit faux : or, il a déclaré qu'il allait être noyé, il a dit vrai. Impossible de le noyer. Le pendre? Pour cela, il faudrait qu'il ait dit vrai; or, il s'est trompé puisqu'il a dit qu'il serait noyé. On ne peut pas non plus le pendre.

Réponse 54 : Le fou du roi a choisi sa sentence : « Je veux être condamné à mourir de vieillesse. »

Réponse 55 : La montre coûte 100 euros au total; si le bracelet vaut 90 euros de moins que le cadran, le bracelet vaut 5 euros et le cadran 95 euros. Mais est-ce que ça les vaut, l'histoire ne le dit pas (la différence entre vaut et coûte se retrouvera dans l'histoire du paysan futé).

Réponse 56 : Le paysan commence par emmener la chèvre, premier aller. Il revient chercher le loup, deuxième aller : en le déposant, il reprend la chèvre avec lui pour la ramener. Il la dépose, et se charge du chou,

qu'il pourra déposer auprès du loup, troisième aller. Il ne lui reste alors plus qu'à aller chercher la chèvre.

Réponse 57 : En trois coups (de cuillère à pot?) : Robinson remplit le seau de 3 litres, puis il le vide en totalité dans le grand seau de 5 litres. Il recommence : il remplit le seau de 3 litres, qu'il va de nouveau déverser dans le grand seau; ce dernier sera plein avec un apport de 2 litres. Le volume d'eau qui restera alors dans le petit seau sera juste de 1 litre.

Réponse 58 : La question n'a aucun sens et son énoncé vous pousse à chercher quelque chose qui n'existe pas. Il faut renverser la question et partir de ce que les trois supporters ont réellement payé : ils ont finalement payé chacun 90 euros, soit un total de 270 euros, qui se décomposent en 250 euros de consommations (dues), auxquels s'ajoutent les 20 euros de pourboire que le garçon leur a fait payer. Au total, ils n'ont pas payé 290 euros.

Réponse 59 : Chacun des deux frères s'estime habile pour disputer une course de vitesse, pas de lenteur. Or, c'est le propriétaire du cheval qui perdra qui gagnera la course. Il existe une autre solution que de monter sur son cheval pour faire une course de lenteur. La clé de l'énigme se trouve dans la distinction à faire entre le cavalier et son cheval. Chacun des deux frères, faisant le même calcul, s'est précipité sur le cheval de l'autre pour galoper à toute vitesse et tenter de gagner cette course : chacun espère ainsi distancer l'autre et faire perdre son propre cheval.

Réponse 60 : Pour surpasser tous les concurrents mégalos qui lui servent de voisins, il écrit : « Ici, le meilleur tailleur de la rue. »

Réponse 61 : Avec les 36 mégots trouvés, le clochard confectionne tout d'abord 6 cigarettes. Il les fumera... sans jeter les mégots, et se retrouvera à la tête de 6 mégots, dont il pourra faire une septième cigarette.

Réponse 62 : Jack McKenzie est chauve.

Réponse 63 : Nous vous conseillons d'aller chez le coiffeur qui est hirsute : il coiffe bien, puisque l'autre coiffeur est aussi un de ses clients. Alors que le coiffeur à la coupe impeccable est vraiment peu soigneux et doit être évité (c'est lui qui s'occupe du coiffeur hirsute). C'est donc le coiffeur hirsute qui fait du bon travail.

Réponse 64 : En fait, il n'y a pas quatre personnes mais trois (selon le même principe que dans l'énigme 11). Le grand-père a donné un million d'euros à son fils, qui en a gardé la moitié avant de redonner l'autre moitié à son propre fils. Il y avait donc au départ un million d'euros, qui a été divisé entre plusieurs personnes. Le pickpocket ne pouvait pas en saisir plus.

Réponse 65 : Le jésuite retourne la question. Au lieu de demander l'autorisation de fumer pendant la prière, il va expliquer : « Peut-on prier tout en marchant, ou en admirant un paysage, ou en se livrant à ses activités quotidiennes, par exemple en se brossant les dents, en faisant la cuisine, en épluchant les légumes ? » Oui, lui répond-on, trop heureux de ce zèle. On peut donc prier pendant le temps des autres activités, y compris alors qu'on est en train de fumer...

Réponse 66 : Une guerre nucléaire entre toutes les nations du monde vient de se terminer faute de

combattants : elle a détruit toute vie sur la planète; l'homme ne veut pas survivre à ce cataclysme. Mais si son téléphone sonne, c'est qu'il reste au moins un autre être humain vivant. L'homme, qui était persuadé d'être le seul survivant, considérait que sa vie n'avait plus de sens jusqu'au moment où il a entendu son téléphone sonner.

Réponse 67 : Lisez bien l'énoncé; la question posée par la mère de Julie est bien : « qui allait à la plage? » Ce matin, il y avait une seule personne qui allait à la plage, et c'était justement la mère de Julie. En effet, la vieille dame excentrique et ses animaux de compagnie en revenaient.

Réponse 68 : Le jeune homme a déclaré qu'il occupait la chambre à côté. Il a frappé avant d'entrer dans la chambre. Or, on ne frappe pas quand on entre dans sa propre chambre : il savait bien qu'il n'entrait pas dans sa chambre.

Réponse 69 : Il met le feu à une petite partie à l'est de l'île. Comme ça, il pourra se réfugier dessus quand elle aura complètement brûlé.

Réponse 70 : L'ombre.

Réponse 71 : Le suspect se trahit en disant : « Je suis retourné au casino », ce qui indique qu'il y a déjà été. Or, il avait déclaré précédemment : « Je n'ai jamais mis les pieds au Pélican rose. »

Réponse 72 : Impossible de faire passer le gaz par un câble!

Réponse 73 : En démarrant en janvier avec une grosse fortune.

Réponse 74 : Lothar joue au golf, au tennis et au football, Aldebert joue au golf, au tennis et au football, et Régis ne joue à rien, il se contente de rester vautré devant la télévision ou de vider des canettes dans les pubs.
Ainsi Régis remplit-il la condition: « Celui qui ne joue pas au tennis ne joue pas au football et celui qui ne joue pas au football ne joue pas au golf. »

Réponse 75 : Elle est aveugle et le livre est en braille.

Réponse 76 : C'est uniquement un problème de français dans le sens de la phrase « trois moines eurent la tête tranchée ». Il ne s'agit pas ici de couper la tête des moines : le verbe « avoir » est au sens premier. Les moines ont (reçu) la tête tranchée (du roi décapité).

Réponse 77 : L'intoxication a été provoquée par les glaçons, impropres à la consommation, mais Régis a bu son punch avant qu'ils n'aient eu le temps de fondre.

Réponse 78 : Blanc, car l'homme est au pôle Nord, le seul endroit lui permettant de faire cela !

Réponse 79 : Car un homme averti en vaut deux !

Réponse 80 : Une allumette ou un briquet.

Réponse 81 : Sur ses genoux, car on ne peut pas s'asseoir sur ses propres genoux.

Réponse 82 : Toujours 15 échelons car le bateau flotte et donc l'échelle monte en même temps que le bateau.

Réponse 83 : Si chacun des gardiens connaît les habitudes de son collègue, alors, il suffit de demander : « Si je demandais à l'autre gardien si votre porte est

bien celle de la liberté, me répondrait-il oui? »
Une réponse « non » signifie que l'on est bien devant la porte de la liberté, tandis qu'une réponse « oui » signifie que l'on est devant la porte du mitard. Supposons maintenant que les gardiens ne soient pas censés se connaître. On peut quand même trouver la bonne porte en demandant à un gardien : « Est-il faux que vous êtes soit un menteur, soit le gardien de la porte du mitard? » (ou bien l'un, ou bien l'autre).
Une réponse « oui » indique alors la porte de la liberté.

Réponse 84 : On prend le deuxième verre, on le vide dans le cinquième et on le remet à sa place. Seul un verre a bougé.

Réponse 85 : L'autre moitié aussi.

Réponse 86 : Le chauffeur de taxi circulait... à pied.

Réponse 87 : Votre mère.

Réponse 88 : La puce.

Réponse 89 : Le petit Philippe note qu'il se trouve dans l'hémisphère Sud car, après avoir rempli puis vidé le lavabo, il a constaté que le tourbillon s'effectuait dans le sens inverse des aiguilles d'une montre.

Réponse 90 : 100, car il ne les a pas encore vendus!

Réponse 91 : Vous en avez deux en main.

Réponse 92 : Une rivière.

Réponse 93 : Non, puisqu'il vit.

Réponse 94 : Le mont Everest.

Réponse 95 : La soustraction des week-ends, jours fériés et congés aurait dû être faite avant la division par trois.

Réponse 96 : Ils ne jouaient pas ensemble.

Réponse 97 : Le soldat a dormi pendant son tour de garde.

Réponse 98 : Le client ajoute la précision suivante : « J'ai accompagné le gigot de la carte de visite de mon adversaire. »

Réponse 99 : L'évadé est monté sur un bloc de glace qui, en fondant, a créé la flaque d'eau.

Réponse 100 : Aucun bien sûr, les neuf autres se sont envolés après la détonation.

Réponse 101 : Un Canadair a pris dans sa soute les poissons et les a largués sur le feu.

Réponse 102 : Habitué à la circulation à gauche, l'Australien, au moment de traverser la route, tourne spontanément la tête du côté opposé aux deux autres joueurs habitués à la circulation à droite.

Réponse 103 : Le train est attaqué par des brigands. Le compère comprend qu'il va devoir remettre tout ce qu'il a sur lui : plutôt que de perdre cet argent, qui s'ajoutera à sa dette, il préfère se précipiter pour remettre à l'autre tout ce qu'il lui doit. Ainsi, il ne perdra rien et se sera acquitté de sa dette.

Réponse 104 : Le cheval est ici la pièce du jeu d'échecs, qui se déplace en biais, et qui va « prendre » un pion adverse en passant par-dessus une autre pièce, en l'occurrence une tour.

Réponse 105 : Ils s'appellent par radio, par téléphone, par signaux lumineux, comme ils veulent, en fait.

Réponse 106 : Un emballage bien hermétique, que

l'on remplit d'hélium, va permettre d'alléger sensiblement le poids du « paquet ». L'hélium pèse à peine 100 g par mètre cube. C'est environ dix fois moins lourd que l'air (1 kg par mètre cube). Cet écart permet de gagner environ 900 g par mètre cube d'air remplacé par l'hélium. Compte tenu du volume de l'emballage à remplir, environ 4 mètres cubes (hauteur x surface de la base = hauteur x largeur de la base x longueur de la base = 2 x 1 x 2), le remplissage par de l'hélium revient à ôter environ près de 4 kg au bagage. Il repassera ainsi sous la barre fatidique des 50 kg.

Réponse 107 : Deux hommes ont tenté de traverser le désert en montgolfière. Alors qu'ils ont bien avancé, leur ballon se met à perdre de l'altitude, et ils décident de lâcher du lest ; le remède s'avérant insuffisant, ils s'allègent encore en se débarrassant de leurs vêtements : le ballon avance mais continue de perdre de l'altitude. Plutôt que de mourir tous deux, ils décident de tirer à la courte paille celui qui devra sauter de la nacelle pour sauver l'autre. C'est celui qui a perdu que l'on retrouve dans le désert.

Réponse 108 : Le roi se trompe complètement sur la modestie de son interlocuteur, qui va le ruiner, par sa demande, bien avant que le délai de 64 jours ne soit écoulé. En effet, la quantité progresse de façon exponentielle, en partant de 1 grain le premier jour. Elle passe à 2 grains le 2e jour, à 4 grains le 3e jour, à 8 grains le 4e jour, à 16 grains le 5e jour, à 32 le 6e jour, à 64 à la fin de la première semaine, puis à 128 à la fin de la première ligne de 8 cases. Elle atteint 256 grains le 9e jour, et ainsi de suite, jusqu'à atteindre 32000 grains à la fin de la 2e ligne de cases.

Puis elle atteint 8 millions de grains à la fin de la 3e ligne de cases, puis 2 milliards de grains à la fin de la 4e ligne de cases. Elle atteint 550 milliards de grains à la fin de la 5e rangée, 140 000 milliards à la fin de la 6e rangée, puis 36 millions de milliards de grains à la fin de la 7e rangée.

	Unités		Millions		Milliards	Milliers de milliards	
1	256	65 536	17	4295	1 100	281	72058
2	512	131 072	34	8590	2199	563	144115
4	1024	262 144	67	17180	4398	1 126	288230
8	2048	524 288	134	34360	8796	2252	576461
16	4096	1048576	268	68719	17592	4504	1152922
32	8 192	2097152	537	137439	35184	9007	2305843
64	16384	4194304	1074	274878	70369	18014	4611686
128	32768	8388608	2147	549756	140737	36029	9223372

Enfin, le total requis est supérieur à 9 milliards de milliards de grains de riz ! Le roi est ruiné depuis longtemps.

Réponse 109 : Le paysan sut tenir les deux promesses. Aux acheteurs qui étaient intéressés seulement par la poule, il répondait qu'elle n'était pas à vendre seule, mais qu'elle faisait partie du lot poule + cheval.

Quand il finit par trouver un acheteur potentiel pour le cheval, il lui expliqua que ce dernier était vendu en un seul lot avec la poule. Le prix de l'ensemble, tout à fait raisonnable, était de 230 deniers, c'est-à-dire 200 deniers pour la poule et 30 deniers pour le cheval : c'est là toute l'astuce.

L'acheteur est d'accord pour payer le lot 230 deniers et la décomposition du prix de l'ensemble en ses différents éléments lui importe peu.
C'est pour le vendeur que la différence prend tout son sens. Car le paysan va pouvoir remettre au dieu le fruit de la vente du cheval : 30 deniers. Le dieu devra se contenter d'une affaire peu fructueuse. En revanche, le paysan pourra rentrer à la ferme avec le fruit de la vente de la poule. Cette affaire représente un gain suffisant, qui pourra assurer, comme prévu, un délai confortable jusqu'à la foire suivante.

Réponse 110 : La vitesse du courant est de 2 km/h. Une mise en équation du problème le résout instantanément, mais on peut présenter la solution de la façon suivante : indépendamment de la vitesse du courant, le bateau s'éloigne de la chaloupe pendant une demi-heure puis la rejoint, mettant donc à nouveau une demi-heure pour l'atteindre; en tout, il a navigué pendant une heure et la chaloupe a parcouru 2 km; la vitesse du courant est donc de 2 km/h.

Réponse 111 : Si le dernier de la file voyait devant lui deux chapeaux noirs, il en déduirait immédiatement la couleur du sien (qui ne pourrait être que blanc). Un des deux chapeaux de devant, au moins, est blanc. Sachant cela, si le deuxième de la file voyait un chapeau noir, il en déduirait que le sien est blanc. Étant donné qu'il ne peut conclure sur la couleur de son propre chapeau, c'est donc que le premier de la file porte un chapeau blanc.

Réponse 112 : Chaque enfant est accompagné de deux femmes et d'un homme; il y a donc deux femmes et un homme par voiture. Chaque femme est accompagnée de trois enfants : il y a donc trois enfants, deux femmes et un homme par voiture. Comme il y a au total neuf enfants, il y a en tout trois voitures, six femmes et trois hommes.

Réponse 113 : Parce qu'il a dépassé les nuages.

Réponse 114 : Il n'a pas prié parce que les journées du 5 octobre au 14 octobre 1582 n'existent pas ! On est passé directement du 4 octobre au 15 octobre cette année-là.
À cette époque encore, on utilisait le calendrier de Jules César, qui est presque parfait mais pas tout à fait : il fait se suivre trois années de 365 jours et une année bissextile (366 jours), ce qui fait une moyenne de 365 jours et 1/4. Mais la Terre tourne autour du Soleil en 365,2425 jours. Le calendrier « julien » (de « Jules » César) n'avance pas tout à fait assez vite : il manque un jour tous les 128 ans.
Au bout de seize siècles, cela faisait 14 jours d'écart qu'il fallait rattraper.
Désormais, le calendrier de Jules César allait être ajusté pour éviter d'avoir à rattraper un grand retard, un jour : on ferait disparaître une année bissextile tous les cent ans (on gagnerait un jour tous les cent ans, ce qui en rattrape un tout petit peu trop); sauf pour les siècles divisibles par 400. Les années 1896 ou 1904 ont été bissextiles, mais pas 1900. En revanche, l'année 2000 est restée bissextile, puisque divisible par 400 (voilà pourquoi le 29 février 2000 a existé, mais pas le 29 février 1900).

Réponse 115 : L'horizon n'est pas situé à la même distance selon notre altitude, et selon notre hauteur. La courbure de la Terre explique cet écart.

Le fils, qui est juché sur les épaules de son père, a les yeux à environ 1,70 mètre du sol : l'horizon est situé pour lui à 4,5 kilomètres. Tandis que pour son père, dont les yeux ne sont placés qu'à 1 mètre du sol, l'horizon est situé à 3,5 kilomètres. Si le bateau est à 4 kilomètres du bord de la plage, le fils le voit, mais pas le père. Il suffit au père de se lever, bien sûr, pour voir le bateau.

Réponse 116 : Le garçon doit donner 5 euros ; ainsi il aura 5 euros de moins qu'initialement, et l'aîné aura 5 euros de plus qu'initialement. Au total, l'écart est bien de 10 euros entre eux deux.

Réponse 117 : 15 fois : 3 ; 13 ; 23 ; 30 ; 31 ; 32 ; 33 (2 fois) ; 34 ; 35 ; 36 ; 37 ; 38 ; 39 ; 43.

Réponse 118 : Il ne pleuvait pas.

Réponse 119 : « Prélevez un écrou sur chacune des trois autres roues... »

Réponse 120 : Charles est un bébé.

Achevé d'imprimer
par l'Imprimerie Floch à Mayenne
en mai 2004
Dépôt légal : juin 2004
N° d'édition : 402
N° d'impression : 60295
ISBN 2-74910-261-8
Imprimé en France